D1289833

Alain Choiquier

Un seul chemin

Opération Mobilisation France

Ce livre est une publication des éditions Telos. L'orientation des livres Telos est exclusivement biblique. Ils ont été consciencieusement choisis.

Première édition avril, 1973
Deuxième édition juin, 1973
Troisième édition juin, 1974

B.P. 50
94120 FONTENAY-sous-BOIS

Couverture : Daniel Dolmetsch

ISBN 3 7751 0114—4

Imprimé en Belgique, par Mercurius, Anvers

PRÉFACE

Un vent glacial balayait les feuilles mortes du cours de Vincennes. Les mains dans les poches, le nez dans le col, les gens marchaient à grands pas.

— S'il vous plaît monsieur, voici une invitation pour vous —

Sans même relever la tête, la plupart continuaient leur chemin. Quelques-uns seulement sortaient la main, saisissaient le tract et l'engouffraient dans la poche, bien au chaud.

— Pardon monsieur, voulez-vous assister à notre rencontre, là au 33 ? —

Il faut avouer que le 33 n'avait rien d'attirant. Une façade lézardée, d'un gris sale, semblait à peine résister au vent. La porte, d'un vert pâle délavé, accompagnait d'un léger grincement les chants qu'elle laissait échapper quand on l'ouvrait. Pour celui qui en franchissait le seuil, une bouffée d'air chaud mêlée à une odeur de moisi l'invitait... à entrer.

Sur des bancs étroits, autour du poêle à charbon, des gens chantaient et chantaient de tout leur cœur. C'était là, la véritable invitation ! Cette chaleur humaine qui répandait une agréable sensation de bien-être, de havre paisible au milieu de la tempête de la vie. Après les chants, un monsieur se levait, et derrière le pupitre, ouvrait un livre, la Bible, et parlait du message de joie et d'espérance pour l'homme d'aujourd'hui. C'était Alain Choiquier qui, plusieurs fois par semaine partageait dans ce local ce que lui-même avait reçu, lorsque jeune homme, il remit la direction de sa vie entre les mains de Dieu. D'athée qu'il était, Dieu en avait fait un évangéliste. Il y mettait toute son énergie, son temps et ses prières pour que ses auditeurs saisissent l'amour de Dieu, et la vie extraordinaire qu'il veut leur donner.

Un seul chemin est né dans cette salle...

Lors des rencontres, des dizaines de personnes entraient dans cette masure et n'en sortaient plus les mêmes, transformées par celui qui a prétendu être la Vie. Jeunes, aînés, parents, enfants ont vu leur vie bouleversée, ils ont trouvé le chemin.

Aujourd'hui, le vieux 33 n'existe plus, mais de l'autre côté de la rue et dans des centaines d'endroits différents, le même message est toujours annoncé. Et ce qui compte, ce sont les vies qui tissent leurs fils non plus sur ce qui est éphémère, frivole et décevant, mais sur ce qui est éternel, réel et tonifiant.

Délibérément, nous avons gardé les messages d'**Un seul chemin** dans leur style parlé. Puissent-ils avec la même force vous donner envie de vous approcher de Dieu et de vous laisser saisir par lui !

Les éditeurs
Avril 1973

UN CHEF D'ŒUVRE EN PÉRIL

L'homme est aujourd'hui mal dans sa peau. Nos savants le constatent. Il a faim, nous disent-ils, d'autre chose que de pain ou de vie confortable. Il a faim d'un quelque chose qu'il ne parvient pas à définir. Certes, il cherche à atteindre la plénitude des biens matériels pour tenter d'y porter remède. En vain ! car plus il est comblé sur ce plan, plus il a faim. Il rêve d'un âge d'or et y croit plus que jamais. Il est adulte... enfin ! et débarrassé des aliénations et tabous du passé qui le rendaient esclave. Les progrès dans tous les domaines, la technologie notamment, ont fait de lui un géant, mais un géant aux aspirations gigantesques. Il a faim dans l'abondance, il est seul dans la multitude, angoissé quand il n'a jamais autant parlé de paix ! Dans les pays où il vit le mieux, il connaît les plus grandes crises. Ceci a fait dire récemment au préfet de la Nièvre, au cours d'un déjeuner-débat : «L'homme se révolte contre un univers qui le comble de biens matériels, sans lui donner le bien suprême, qui est la joie de vivre.»

L'architecte suédois de grand renom qui construisit dernièrement les plus belles tours de la ville de Toronto, s'est suicidé, sitôt après avoir reçu ses honoraires dont le montant fait rêver ! Pourquoi ? Qui ne sait que le phénomène hippy a ses origines au pays le plus riche du monde et que la grande majorité de ses jeunes est issue de familles très aisées. St-Exupéry n'affirmait-il pas avec raison : «On ne peut plus vivre de frigidaires, de politique, de bilans, de mots croisés, voyez-vous, on ne peut plus. (...) On a cru que pour faire grandir les hommes, il suffisait de les vêtir, de les nourrir, de répondre à leurs besoins...» En agissant ainsi, on a fait la société de consommation, rien moins que cela ! Et Fernand Raynaud a beau nous dire «HEU... REUX !» nous n'avons jamais éprouvé un tel «Mal de Vivre» !

Il est vrai que si l'homme, tout moderne qu'il est, n'était fait que de chair et d'os, il aurait de quoi être heureux aujourd'hui, surtout dans cette partie du monde où il n'a jamais autant possédé. Tout son mal vient précisément de ce qu'il est plus qu'un corps, plus qu'un accident biologique. Sa soif d'harmonie, de plénitude et d'absolu le prouve. Ce monde matérialiste qu'il s'est donné l'étouffe et le pollue. L'univers des cinq sens dans lequel il se résigne à vivre, vaille que vaille, ne le satisfait pas et lui cache d'autres horizons. Travailler, manger, boire, courir, se reposer puis recommencer ou en d'autres termes «métro, boulot, dodo» lui donne le sentiment que vivre avec un grand «V» ce n'est pas cela, qu'il y a sûrement autre chose. Albert Camus, pris de vertige dans ce cycle irrémédiable, a pensé que pour en sortir, la seule issue était le suicide. Chacun a la conviction de passer à coté de l'existence qu'il devrait connaître... de ne pas vivre dans le mille ! Pourquoi ?

Jésus a dit : «l'homme ne vivra pas de pain seulement.» (1) Il affirme du même coup que l'homme n'est pas, comme l'a prétendu Marcuse, un être unidimensionnel. En effet, le borner à satisfaire ses seuls besoins matériels le prive d'un aspect transcendant de sa personnalité et l'aliène. C'est la seule vraie aliénation, voire même amputation qui le gêne et le traumatise. L'homme est un être bidimensionnel :

(1) Luc 4 : 4

son âme est sa deuxième dimension, sa dimension spirituelle. C'est ce qui explique son éternelle insatisfaction, car en fait, il n'alimente et ne satisfait qu'une partie de son être... l'autre crie sa faim !

Frédéric Nietzsche a sonné le glas de Dieu, proclamant avec une certaine assurance : «Dieu est mort, nous l'avons tué !» Mais en réalité chacun sait aujourd'hui que Nietzsche est bien mort, mais Dieu... ? et chacun sait également que ce philosophe est mort fou ! Or, il est écrit : «Le fou dit : Dieu n'existe pas.» (2)

Après lui, le souffle morbide des philosophies de l'existence a fait éprouver à l'homme un immense vide intérieur qui s'exprime partout : l'art, la littérature, la peinture, la musique ; un vide qui ôte souvent toute saveur à la vie et que rien, semble-t-il, ne parvient à combler. On a certes tué Dieu, mais qu'a-t-on mis à la place ? un matérialisme effréné ! Quelle utopie ! Ni l'argent, ni le confort, ni le sexe, ni la drogue, ni le tiercé même ne peuvent le remplir, car ils n'ont pas sa forme. Quelqu'un me disait un jour : «Dans ma vie ça tourne carré.» Doublez, triplez même à un enfant sa ration de protéines et ôtez-lui l'affection d'une maman, vous aurez beau faire, il en sera perturbé. Un bon lit, du bon lait, de beaux jouets, tout ce baby-confort ne remplira jamais ce vide en lui qui aura la forme d'une maman.

Un auteur célèbre a dit qu'il y a dans le cœur de l'homme un vide qui a la forme de Dieu. Dans nos moindres fibres en effet, nous avons été faits de telle manière que si nous sommes sans Dieu, ça ne tourne pas rond, quelque chose est comme «cassé» en nous... nous sommes en panne ! Tous

(2) Psaumes 14 : 1

les pis aller et panacées auxquels nous avons recours nous laissent un goût amer et ne font qu'augmenter nos angoisses.

Dans l'un de ses ouvrages, Jean-Paul Sartre a dit : «L'homme est angoisse.» Il a voulu dire, pensons-nous, que l'angoisse colle à l'homme comme sa peau, qu'elle coule dans ses veines, et que rien n'y pourra jamais rien ! Comment peut-il en être autrement, du moins chez cet auteur, pour qui la mort est plus belle que la vie et le néant plus séduisant que l'être ?

Il est vrai que l'angoisse de nos jours est un phénomène qui tend à se généraliser. Qu'elle est pénible... quand elle nous tient ! Nous tentons, tant bien que mal, de la noyer dans l'alcool, la drogue, l'absorption massive de tranquillisants ou encore dans une vie abusivement active. Hélas, elle sait nager ! Jésus a dit qu'elle serait un signe des temps : «Il y aura sur la terre de l'angoisse chez les nations qui ne sauront que faire.» (3) Il annonçait des temps difficiles aux problèmes gigantesques et aux tensions tellement explosives qu'il en résulterait une grande angoisse. Sommes-nous dans ces temps ? A vous d'en juger !

Il y a plusieurs causes à nos angoisses, mais trois au moins, nous paraissent assez saillantes pour être considérées de près. Tout d'abord, certaines angoisses nous viennent lorsque, face à nos problèmes de vie, nous sommes sans solution. Avez-vous jamais tenté d'apporter une réponse qui se tienne à la superbe toile du peintre Gauguin : «D'où venons-nous ? Qui sommes-nous ? Où allons-nous ?» Le Dr. Jung, éminent psychologue, a osé dire que tout homme

(3) Luc 21 : 25

de plus de 35 ans, inconsciemment ou consciemment, est dominé par l'angoisse de la mort. N'a-t-il pas avoué tout haut ce que chacun éprouve et pense tout bas ?

Ah ! cette crainte de mourir... quand elle nous tenaille, quel cafard ! Je me souviens de cet ami, vieux médecin, que je visitais quelquefois dans son hôtel particulier du 16e arrondissement. Très âgé et toujours sans réponse face à l'événement fatal qui pouvait le surprendre à tout moment, il était en proie à de terribles angoisses. Ni sa fortune personnelle, ni sa qualité de médecin, de grand chirurgien même, ni sa somptueuse demeure, encore moins son valet de chambre, n'y pouvaient quelque chose. Ne comptait pour lui que la réponse au problème de la mort. Celle-ci, en effet, n'a-t-elle pas inspiré au poète les vers qui suivent :

> «La mort a des rigueurs à nulle autre pareilles,
> On a beau la prier,
> La cruelle qu'elle est, se bouche les oreilles
> Et nous laisse crier.» [4]

Il est heureux qu'un jour, ce médecin se confia de cœur en Dieu et en Christ qui a vaincu la mort. Une paix, inconnue jusqu'alors malgré ses 90 ans, envahit son être. Quelques semaines plus tard, et de la façon la plus irénique, il se laissa happer par elle et elle ne l'épouvantait plus !

La Bible ne dit-elle pas que Jésus est mort afin de délivrer ceux qui, par crainte de la mort, étaient souvent tourmentés ? [5]

Le Dr. Reys, psychologue lui aussi, constate qu'on

(4) La douleur du Perrier - Malherbe
(5) Hébreux 2 : 15

peut même risquer l'accident mental si les questions fondamentales de l'existence restent sans réponse : «Combien de nos malades mentaux, dit-il, sont tourmentés par un sentiment de culpabilité. Il montre à l'analyse des problèmes de vie non résolus.»

Une seconde source d'angoisse vient du refoulement de la conscience. Cette conscience, Dieu l'a donnée comme une lampe intérieure. (6) Ne l'avons-nous pas souvent maudite quand elle tentait de nous freiner sur la pente du mal ! Bousculée, bafouée, que de fois elle a vacillé quand elle ne s'est pas éteinte ! Qu'elle est insupportable quand elle jette une lumière sur nos fautes, nos pensées cachées, nos intentions mauvaises ! Nous la chassons et la refoulons pour qu'elle se taise. C'est alors qu'elle nous angoisse.

«Trouble et angoisse, dit l'Ecriture, sur tout homme qui fait le mal.» (7)

Le Dr. Maeder, spécialiste de ces questions, ne frappe-t-il pas un grand coup en affirmant que «nous savons maintenant qu'il existe chez l'homme un refoulement de la conscience» et que «l'angoisse est une maladie de la conscience». L'homme est donc malade au niveau de sa conscience ! Nos savants rejoignent la Bible sur ce point. Quant au remède, c'est autre chose... La Bible dit : «Si nous disons que nous sommes sans péché, nous nous trompons nous-mêmes et la vérité n'est pas en nous. Mais si nous avouons nos fautes à Dieu, nous pouvons avoir confiance en lui, il agit de façon juste. Il pardonnera nos péchés, et nous rendra purs de tout mal.» (8) Une conscience nette, purifée, sans tache,

(6) Proverbes 20 : 27
(7) Romains 2 : 9
(8) 1 Jean 1 : 8, 9

quelle explosion de joie ! C'est ce que Dieu fait quand on le laisse entrer. Lui seul peut chasser nos angoisses et nous donner la vraie paix intérieure.

Une troisième cause à nos angoisses : le refoulement de Dieu. «L'angoisse métaphysique, a dit le docteur Oscar Forel, demeure le problème humain fondamental.» Qu'ils sont anxieux, ceux qui pensent que Dieu n'existe pas ou qu'il est mort, même quand ils sont philosophes ou hommes de science ! Nier Dieu ne les a pas rendus plus heureux. Au contraire ! Ils connaissent un marasme intérieur épouvantable et paraissent complètement «déboussolés». A les lire, on en éprouve une vraie nausée. Dans la citation à laquelle nous faisions allusion plus haut, le Dr. Jung d'ajouter : «Tout homme de plus de 35 ans, inconsciemment ou consciemment, est dominé par le problème religieux...» Quand bien même nous aurions une réserve à propos de l'âge qu'il avance, cette pensée s'accorde pleinement avec la Bible, quand elle affirme que Dieu a mis dans l'homme la pensée de l'éternité. (9)

Refoulons Dieu, il refait surface, une sorte d'instinct nous le rappelle souvent : c'est la pensée de l'éternité. Ce phénomène nous revient à une certaine cadence et parfois avec plus d'acuité. On se souvient qu'un jour Voltaire se surprit à se signer devant un calvaire. A son compagnon, étonné lui aussi, il répondit qu'avec l'homme en croix ils se saluaient, mais ne se parlaient pas. Jésus ainsi revenait à la charge. Mais attention, avec Dieu, il y a un point de non retour, et le jour viendra où l'ultime occasion sera offerte. Si elle n'était pas saisie : «Vous saurez, dit-il, ce que c'est que d'être privé de ma présence ;

(9) Ecclésiaste 3 : 11

moi, l'Eternel, j'ai parlé !» (10) Nos angoisses nous suivraient alors au-delà du temps.

Je me souviens des crises de ma jeunesse, quand secoué intérieurement par des tempêtes de toutes sortes, je cherchais une voie, une issue, un terrain sûr et solide. J'avais soif de réalité ! A considérer ceux qui se disaient de Dieu, j'en éprouvais certaines aigreurs. Leurs religions respectives les rendaient arrogants, égoïstes, on ne peut plus fiers souvent. La politique ? Là encore des conflits, d'intérêts surtout, et une fausse réponse à mes besoins. Je continuais de chercher... Si Dieu existait, je le voulais réel à moi, vrai à mon cœur et à mon intelligence. S'il existait, c'était d'une relation personnelle avec lui dont j'avais besoin, d'une authentique expérience. S'il était vraiment mon créateur, j'estimais avoir le droit de le connaître. Je ne voulais pas seulement qu'on m'en dise quelque chose. C'eût été insuffisant. Et puis, j'en avais assez d'être trompé. Mais quel moment merveilleux lorsque je le rencontrai ! L'impact qu'il fit sur ma vie fut tel qu'elle en fut toute changée, révolutionnée même. Mon existence prit une dimension nouvelle et était enfin comblée. C'est une personne que je découvris dans cette rencontre et non une religion, un Dieu vivant et non un dogme ni une tradition. Une vie nouvelle s'ouvrait à moi, et cela remonte à plus de vingt ans. Depuis, Dieu est devenu mon compagnon de route, un ami de tous les instants qui n'a jamais manqué.

Jésus a dit : «Je suis le chemin, la vérité, et la vie.» (11) Etait-il insensé de s'exprimer ainsi ? Aucun homme de quelque siècle que ce soit, n'a pu tenir un tel propos. Nous l'aurions jugé fou ! Qu'en est-il de

(10) Nombres 14 : 34-35
(11) Jean 14 : 6

Jésus ? Ses ennemis mêmes de son vivant durent admettre que «jamais homme n'a parlé comme cet homme». [12] Quel aveu ! Comme il le fit il y a vingt siècles, Jésus pose aujourd'hui la question : «Qui dites-vous que je suis ?» [13] Pour certains, il fut le premier communiste, pour d'autres un révolutionnaire. D'autres encore ont tenté de le mettre de leur bord en l'interprétant à leur façon et en lui faisant prendre leur sillage.

Quant à la Bible, qu'en dit-on généralement ? S'est-on posé la question de savoir pourquoi elle est encore, contre vents et marées, le best-seller mondial ? Traduite en plus de 1200 langues et dialectes, elle reste le livre le plus lu et le plus vendu au monde.

Voltaire jouant les prophètes prévoyait qu'elle disparaîtrait à jamais 30 ans après sa mort. Eh bien, 30 ans après lui, les premières sociétés bibliques commençaient à la diffuser massivement ! Jésus a dit : «Le ciel et la terre passeront, mais mes paroles ne passeront pas.» [14] Avons-nous jamais eu, à l'occasion, l'honnêteté de nous pencher sur les paroles de celui à partir duquel les hommes ont compté leurs jours ? Il serait grand temps de le faire...

(12) Jean 7 : 46
(13) Matthieu 16 : 15
(14) Luc 21 : 33

UN MESSAGE NEUF POUR DES HOMMES NEUFS

Nous n'avons jamais autant souhaité le changement. Nous sommes si mal dans ce siècle, si mal dans notre peau, qu'il faut que ça change ! Mais le tout est de savoir comment et en quoi. Par quoi faut-il commencer ? La famille, le siècle, la société, le monde, la morale, la religion ? Nous ne sommes plus d'accord !

Les travailleurs pensent que leurs patrons devraient changer les premiers.

— «Ils nous exploitent, disent-ils. Comment se fait-il que votre Dieu n'ait rien dit à ce sujet ?
— Que dites-vous ? rien dit à ce sujet ? Qui le premier a demandé que l'ouvrier ait un salaire, et le salaire qu'il mérite ?» (1)

En des temps féodaux, Dieu n'a-t-il exigé des patrons un salaire... et un salaire correct pour leurs ouvriers ? A ces mêmes patrons, faisant fortune sur le dos de ceux qu'ils employaient, n'a-t-il pas dit : «Pleurez et gémissez à cause des malheurs qui viendront sur vous. Vos richesses sont pourries (...) Voici, le salaire des ouvriers qui ont travaillé vos champs et dont vous les avez frustrés crie, et les cris des moissonneurs sont parvenus jusqu'aux oreilles du Seigneur ! Vous avez vécu sur la terre dans le luxe et dans les plaisirs, vous vous êtes engraissés, vous avez condamné et mis à mort l'innocent...» (2) Jésus sur la terre était-il patron ou tra-

(1) 1 Timothée 5 : 18
(2) Jacques 5 : 1-6

vailleur ? N'était-il pas le charpentier de Galilée, aux mains calleuses et en bleu de travail à l'atelier ?

Plus tard, avec autorité, il dira aux hommes de sa génération, quels qu'ils soient : «Il faut que vous naissiez de nouveau.» (3) C'était du même coup le changement qu'il proposait à tous. Ce message est encore actuel. L'ancien Secrétaire Général des Nations Unies, Dag Hammarskjöld, a dit un jour : «Je ne vois aucun espoir de paix pour le monde. Si le monde ne passe pas par une nouvelle naissance, il est condamné.» Ce changement radical, Dieu l'offre à tous les hommes, qu'ils soient ingénieurs, mécaniciens, ministres, agriculteurs ou autres. Il est le seul espoir pour un avenir meilleur. «Si quelqu'un est en Christ, dit la Bible, il est une nouvelle créature.» (4) En d'autres termes, si quelqu'un rencontre le Christ, il naît à une vie nouvelle. C'est bien beau, direz-vous, mais à regarder le passé et même le présent, la religion chrétienne qu'a-t-elle changé ? N'a-t-elle pas jeté le discrédit sur elle-même par toutes ses compromissions aux guerres et à la politique ? N'est-elle pas en perte de vitesse, en train de faire faillite ? Vous dites qu'elle est capable d'un changement ; n'est-elle pas toujours à la traîne et la dernière à accepter de se moderniser ?

C'est vrai, mais c'est à un religieux que Jésus a parlé pour la première fois de nouvelle naissance. L'avez-vous remarqué ? Ce Nicodème, théologien en effet, était allé à Jésus de nuit pour un sérieux entretien. Lui aussi aspirait à un changement pour son temps. Jésus l'interrompit et droit en face lui dit : «Il faut que vous naissiez de nouveau !» Autrement dit, Nicodème sentait le vieux, la poussière

(3) Jean 3 : 7
(4) 2 Corinthiens 5 : 17

et la naphtaline. Sa religion ne l'avait point changé. En lui, c'est de toutes les religions que Jésus a fait le procès. Puissent celles d'aujourd'hui entendre ce même message pour connaître un vrai changement !

Qu'est-ce qu'un vrai chrétien ? Généralement on répond : c'est un baptisé..., un catholique ou un protestant..., quelqu'un qui pratique une religion chrétienne ou qui est né dans une famille chrétienne. Un baptisé ? Vous conviendrez qu'un baptisé peut ne pas être chrétien : Vous peut-être, qui l'avez été étant bébé, et qui maintenant êtes athée. Catholique ? Protestant ? Combien le sont de nom et d'étiquette seulement ! Par contre, et vous en conviendrez également, un «non-baptisé» peut être authentiquement chrétien. Ce brigand sur la croix par exemple, mourant près de Jésus, avait-il reçu le baptême ? Il lui est pourtant fait la promesse qu'il aurait sa place au ciel ce même jour ! Voilà qui devrait faire réfléchir.

Une définition du chrétien ? C'est encore l'évangile qui la donne. L'entendre pourrait nous faire dresser les cheveux sur la tête ! En effet, dit-il, un chrétien est une personne née... deux fois ! On ne peut pas naître chrétien, mais on le devient par une seconde naissance. Il y a quelques années, alors militaire, j'étais infirmier. Mon affectation en maternité-gynécologie m'offrit l'occasion d'assister à plusieurs naissances. J'avoue que j'en fus très impressionné, surtout au début, mais jamais je ne vis un bébé naître en criant : «Alléluia !»

Un chrétien, précise l'évangile, est une personne «... née, non du sang, ni de la volonté de l'homme, mais de Dieu». (5) C'est donc quelqu'un mis au monde

(5) Jean 1 : 13

une deuxième fois. Dans quel monde ? Toute la question est là. Il ne s'agit plus, bien sûr, du monde physique dans lequel une première naissance l'a fait entrer. «Ce qui est né de la chair, dit Jésus, est chair et ce qui est né de l'Esprit est esprit.» (6) Le monde dont il est question est celui de Dieu qui est Esprit. (7) Toute naissance débouche sur une famille. La naissance physique sur une famille physique, la naissance spirituelle sur une famille spirituelle. Celle-ci est précisément la communauté chrétienne, ou pour être plus moderne, la nouvelle société faite d'hommes et de femmes rendus neufs par cette expérience. Naître de nouveau, c'est donc devenir enfant de Dieu, vrai chrétien. On a voulu avoir des chrétiens par d'autres moyens ; on en a même faits à la pelle ! On a aussi dit à certains qu'ils l'étaient pendant un temps... mais sans le savoir ! Nous en avons récolté un christianisme défiguré, une sorte d'«ersatz» dont, à juste titre, on ne veut plus.

Le chrétien doit être un homme neuf, évoluant au sein d'une société nouvelle, la communauté chrétienne, faite de ceux qui ont été radicalement changés par la puissance de l'évangile. Naître de nouveau n'est pas s'améliorer : «Chassez le naturel, dit le proverbe, il revient au galop !» Pour mieux saisir ce dont il s'agit, pensons au papillon. C'est un insecte né deux fois : une première fois chenille, une seconde fois papillon. Est-ce surprenant ? C'est le phénomène admirable de la métamorphose. Il en est de même pour la grenouille et la libellule. Si par une belle nuit d'été, vous vous approchiez sans bruit de quelques grenouilles prenant le frais au bord d'une mare, vous n'entendriez jamais l'une d'elles dire aux autres : «Si ma

(6) Jean 3 : 6
(7) Jean 4 : 24

patte est folle, c'est qu'on a dû, à ma naissance, me tirer au forceps !» Mais revenons au papillon. La métamorphose le modifie complètement tant dans sa forme que dans ses goûts. Les feuilles de salades et de choux qui faisaient tous ses délices au temps où il était chenille ne l'intéressent plus. Une seule chose compte à présent, les fleurs ! Il a changé d'univers.

Il en est de même du chrétien. Cette métamorphose intérieure qu'est la nouvelle naissance, le change dans ses dispositions les plus profondes. Tout ce qui faisait sa vie d'antan, surtout le mal, n'a plus d'attrait. Son être éprouve les premiers jaillissements d'une existence nouvelle toute portée vers la beauté, la pureté, la justice, l'amour, la paix et la joie en Christ. Si quelqu'un rencontre le Christ, il est «refait».

Comment Dieu opère-t-il en nous cette re-création ? «Je vous donnerai, dit-il, un cœur nouveau, je mettrai en vous un esprit nouveau.» (8) Cela n'est ni une amélioration ni un replâtrage, ni du rafistolage, mais bien une révolution au niveau des racines de l'être. Sans cette nouvelle naissance, il n'y a ni chrétien, ni christianisme ! Un retour aux sources, c'est-à-dire à l'évangile, est nécessaire pour saisir toute la force d'un tel message.

Naître de nouveau, pour quoi faire ? Eh bien, parce qu'on ne naît pas «petit saint» ni bon, comme le prétend Rousseau, encore moins chrétien, nous l'avons déjà dit. J'en veux pour preuve nos enfants. Qui leur a donc appris, si jeunes, à mordre de leurs tendres quenottes ou à se tirer par les cheveux quand il sont, à leur âge déjà, animés de colères

(8) Ezéchiel 36 : 26

toutes bleues ? C'est mignon, direz-vous, mais il n'empêche qu'ils ne sont plus roses... mais bleus dans ces moments et que c'est pour faire mal qu'ils agissent ainsi ! Je me souviens qu'un jour ma plus jeune fille encore bébé aux tendres quenottes mordit au bras sa sœur de deux ans son aînée qui tentait de lui ôter un objet de la main. Je m'étais posé la question de savoir qui lui avait appris à mordre ainsi. A l'époque elle était toujours au foyer, et les seules personnes sur lesquelles elle aurait pu copier son geste étaient ses parents ! Je puis vous assurer qu'avec ma femme, on ne se mord jamais ! Ce geste entre beaucoup faisait donc la preuve qu'en elle était déjà le mal. «Comment, dit Job, d'un être souillé sortira-t-il un homme pur ? Il n'en sortira point !» [9] Voilà pourquoi il faut naître de nouveau.

Jacques Paoli, quand il dirigeait Europe Midi, il y a quelque deux ans de cela, conclut un flash sur la pornographie en ces termes : «C'est donc qu'il y a en chacun de nous un cochon qui sommeille.» Ce «cochon» en nous, chers lecteurs, c'est cela le péché.

> «Le péché ? Vous en êtes encore là ? Vous êtes un attardé. La théologie elle-même le remet en question. Voyons ! Vivez avec votre siècle !»

Il est vrai que la science, dans ce même siècle, le voit comme une altération de l'individu au niveau de ses chromosomes. Pour sa part, la psychologie parle de charges, de charges d'agressivité ou d'affectivité qu'il convient d'évacuer de la bonne manière. Il lui arrive aussi de le considérer comme une forme de la psychose maniaque dépressive.

[9] Job 14 : 4

Il nous semble, dans tous les cas, qu'on se soit appliqué à changer l'étiquette au poison, mais le péché reste de nos jours ce qu'il a toujours été : le péché ! S'il est vrai que c'est un mot vieux comme le monde, usé aux yeux de certains, il est vrai aussi qu'il est plus actuel que jamais. C'est bien parce que je vis avec mon siècle que j'ose en parler. Un mot aujourd'hui peut le rendre presque parfaitement : celui **d'agression.** Le péché est en effet une agression que nous subissons, dit Jésus, à partir du dedans, une agression morale qui avilit en même temps qu'elle aliène. Quelles agressions en effet que l'immoralité, les mauvaises pensées, les mensonges, le désordre, les tromperies de toutes sortes, la jalousie, l'envie, l'orgueil, l'égoïsme... une vraie pollution du cœur et de la conscience ! Une nouvelle naissance s'impose pour nous arracher à cet univers de corruption et de méchanceté qui est en tous et en chacun.

Pécher c'est encore rater sa vie. Les Grecs usaient de ce terme quand ils tiraient à l'arc. Pécher pour eux signifiait louper le but, manquer la cible. Pour Dieu, pécher c'est passer à côté du chemin de la Vie. C'est être «déboussolé» et ne pas vivre dans le mille. On se demande souvent ce que l'on fait là, et nos philosophes alimentent ainsi une éternelle interrogation sur l'homme et le sens de l'existence. A lire Sartre, en effet, quel désarroi : «Nous étions un tas d'existants, gênés, embarrassés de nous-mêmes, nous n'avions pas la moindre raison d'être là. Chacun se sentait de trop par rapport aux autres, et moi aussi j'étais de trop... je rêvais vaguement de me supprimer, mais ma mort même eût été de trop, j'étais de trop pour l'éternité.» [10]

[10] La Nausée

Sans citer Camus, Simone de Beauvoir, Jean Rostand même pour lequel «... l'homme, accident entre les accidents est né sans raison et sans but et traverse la vie dans l'épouvante de la mort.» Pécher, dit la Bible, c'est avoir perdu la bonne direction, c'est vivre sans trop savoir pourquoi, c'est errer et passer à côté du vrai sens de l'existence. Ce sentiment d'être constamment à côté de l'existence que l'on devrait connaître, finit par angoisser. Nos philosophes l'affirment, nous n'y revenons pas. Naître de nouveau c'est découvrir le vrai sens de la vie, c'est entrer dans une nouvelle dimension de vie que Jésus appelle LA VIE ETERNELLE. C'est enfin vivre pleinement et de toutes ses forces !

On raconte qu'à Hyde Park à Londres, il se trouvait un jour deux orateurs ayant chacun devant lui son propre auditoire. L'un était politicien et l'autre chrétien. Soudain, entre eux deux, vint à passer un pauvre homme tristement vêtu. Le fixant des yeux, le politicien de dire avec force : «Si l'Angleterre était de notre bord, nous ne verrions plus ce genre de chose !» L'autre orateur, l'ayant entendu, répliqua presque du tac-au-tac : «Si cet homme, à cette heure même, naissait de nouveau, que se passerait-il ? Si cet homme maintenant naissait de nouveau, il pourrait continuer de porter encore un temps ce vieux costume, mais, dans ce vieux costume... il y aurait un homme neuf !» C'est toute la différence. Comment naître de nouveau ? «Quiconque croit que Jésus est le Christ est né de Dieu.» (11) Croire en engageant son cœur, avoir la foi, se confier en Dieu est la seule façon d'y arriver. Etes-vous né de nouveau ?

A quel signe reconnaître une authentique nouvelle

(11) 1 Jean 5 : 1

naissance ? Tout d'abord par le témoignage intérieur de la voix de Dieu venu faire sa demeure en nous par son Esprit. L'Esprit de Dieu affirme lui-même à notre esprit que nous sommes enfants de Dieu. (12) Puis ensuite, «Quiconque pratique la justice est né de Dieu», (13) et «Quiconque est né de Dieu ne pratique pas le péché.» (14) Notez bien qu'il n'est pas sous-entendu qu'il ne pèche plus, mais qu'il n'a plus goût au péché. Et enfin, «Quiconque aime est né de Dieu et connaît Dieu.» (15) Pratiquer la justice en menant une vie droite hors des voies du mal et aimer, voilà le programme que Dieu propose. Dites «oui» à la Vie et vivez pleinement, intensément ! Dites «oui» à Jésus-Christ et naissez de nouveau dès maintenant.

(12) Romains 8 : 16
(13) 1 Jean 2 : 29
(14) 1 Jean 3 : 9
(15) 1 Jean 4 : 7

"CHE" BARABBAS OU JÉSUS ?

Certains commentateurs de la Bible s'accordent pour dire qu'il y eut chez Barabbas plus qu'un bandit de grand chemin, et plus qu'un brigand au grand cœur. Il était aussi un esprit frondeur et révolutionnaire en marge de la société de son temps. Avec sa bande, en effet, il se dressait contre la Rome impérialiste. Nous l'aurions volontiers situé à gauche de nos jours.

Rome était alors maîtresse du monde. Sa puissance militaire et sa soif de conquête l'avaient portée jusqu'aux limites de la terre d'alors. Partout où elle pénétrait, c'était souvent le feu, le fer, et le sang. Cet homme jeune et violent, avec sur lui un air du «Che Guevara», rêvait de la jeter à la mer. La complaisance des chefs de son pays l'irritait. Avec une poignée d'hommes, convaincus comme lui, la victoire ne faisait aucun doute. Ainsi que le firent tant et tant de révolutionnaires ici et là ces dernières années, il commandait de ne point payer l'impôt à César, essayant ainsi de semer la crainte au sein du peuple.

Pilate n'était pas dupe. Il savait que ce dont on accusait Jésus au jour de son procès n'incombait en fait qu'à Barabbas. Il convenait en effet de faire feu de tout bois pour se débarrasser de Jésus. En soulevant ainsi le peuple à la révolte, Barabbas a fait la preuve que ce genre de combat, subversif et révolutionnaire, n'est pas nouveau aujourd'hui comme certains le pensent. La révolution était à la pointe de son épée. La «majorité silencieuse» l'aurait suivi, sûrement, car comme lui, souffrait de ce régime, mais le taisait. Les reliefs escarpés, les déserts montagneux étaient son meilleur refuge, «Israël libre !» son slogan. Ses idées avaient trouvé un certain écho au sein des masses. On comprend mieux alors pourquoi devant Pilate, les chefs du pays crurent bon de souffler son nom aux foules pour qu'elles le préfèrent à Jésus. Ils savaient qu'il jouissait d'une grande réputation.

En effet, sans problème aucun, son nom fit l'unanimité. Le jour vint où, avec ses gars, il se sentit de taille pour une action plus spectaculaire au cœur même de la capitale. Pour impressionner les masses, Rome fut leur objectif premier. Des barricades s'élevèrent dans les rues de Jérusalem : c'était la sédition ! (1) Dans l'affrontement le sang coula. Les légions romaines harcelées, ripostèrent. Ce fut l'écrasement. Barabbas et quelques-uns de ses amis furent pris et jetés en prison pour «atteinte à la sûreté de «l'Etat». Le «printemps de Jérusalem» n'était plus qu'amère illusion. Derrière ses barreaux, Barabbas ruminait une impossible vengeance en attendant le jugement et la mort. Et quelle mort ! Ce ne sera pas la guillotine de la Santé, ni la chambre à gaz d'Auchwitz, encore moins la chaise électrique de Californie ou le grand oubli de la Sibérie. Un frisson lui passe dans le dos : ce sera l'atroce supplice de la croix !

Il lui restait cependant une lueur d'espoir. Pâques approchait. A cette occasion Pilate relâchait un prisonnier. C'était la coutume. Le sort le désignerait-il ? Mais au fait, pourquoi cette amnistie ? Pâques rappelait une délivrance, celle du pays d'Egypte.

Ah Barabbas, souviens-toi ! Ton Dieu n'est pas

(1) Luc 23 : 19

comme tu le penses, insensible aux souffrances des peuples opprimés. Un jour, et tu le sais fort bien, il intervint en faveur du tien, alors sous un joug totalitaire en Egypte. Moïse ton ancêtre, n'était-il pas un homme de ta trempe, esprit frondeur lui aussi ? N'a-t-il pas tué l'Egyptien comme tu as tué le Romain ? Et Pâques... quelle révolution ! un peuple entier recouvre sa liberté et sort libre d'une terre totalitaire. N'est-ce pas là un des plus grands phénomènes révolutionnaires de l'histoire ? Qu'on ne nous dise plus que Dieu n'a cure des peuples dans l'oppression, mais... où sont-ils ces peuples qui s'attendent à lui pour leur délivrance, leur prospérité et leur bonheur ? Comme toi Barabbas, nous ne croyons plus qu'en la violence pour en sortir. Marcuse l'a dit : «On ne peut renoncer à la violence pour arriver à une société plus humaine.»

Jésus a pourtant affirmé et tu l'as peut-être entendu : «Celui qui tire l'épée périra par l'épée.» (2) Et puis, Barabbas, Pâques ne traite-t-il pas de ton cas, de tes aspirations et de tes problèmes ? Tu dis, «Dieu pour quoi faire ?» quand on est sous un tel régime. Si tu savais que sur toi domine une force plus tyrannique que Rome et plus terrible que Pilate : ton propre péché !

Il y a là, à Jérusalem, un homme que l'on craint plus que toi et dont on veut se débarrasser. Son seul crime est de dire la vérité en face. C'est un révolutionnaire aussi, et sa seule parole a ébranlé le pays entier. Il parle d'hommes neufs et de monde nouveau. Il est venu pour changer l'homme et le sortir de ses chaînes. Pourquoi le craint-on plus que toi ? Sa parole est une épée qui fait plus de mal que la tienne. Elle pénètre les consciences et

(2) Matthieu 26 : 52

les met à nu. Il dit souvent que «... c'est du dedans, c'est du cœur des hommes que sortent les mauvaises pensées, les adultères, les impudicités, les meurtres, les vols, la cupidité, la méchanceté, la fraude, le regard envieux, la calomnie, l'orgueil, la folie.» [3]

Ce n'est pas la société qu'il faut changer d'abord, mais l'homme : son cœur, son intelligence, sa mentalité. Sinon c'est mettre la charrue avant les bœufs. Il est d'ailleurs venu pour toi Barabbas, pour te changer, toi qui veux changer les autres. A la place de Pilate, n'aurais-tu pas agi comme lui ?

Tu tournes en rond, comme un fauve, dans ton cachot te demandant qui aura raison de tes barreaux. Toi ? Tu n'y penses pas. Tes amis ? Un même sort les attend. Mais, tu entends... au dehors, comme une clameur ? C'est ton nom qui est scandé ! Est-ce la fin ou la liberté ? Si le sort te désignait, qui prendrait ta place ? Tiens... la voix de Pilate. Que dit-il ?

«Lequel voulez-vous que je vous relâche, Barabbas ou Jésus ?
Barabbas, crie la foule.
Que ferai-je donc de Jésus ?
Qu'il soit crucifié !»

Celui donc auquel tu ne pensais pas va maintenant prendre ta place, tes chaînes, tes barreaux, ta croix. Celui que tu méprises va mourir pour toi, subir ton châtiment et te rendre la liberté. Un peu de reconnaissance, non ?

Ainsi sommes-nous faits. Nous sommes tous des

[3] Marc 7 : 21-22

Barabbas enchaînés à nos passions, nos humeurs, nos révoltes, nos idoles, derrière les barreaux de notre péché. C'est vrai, «Che Guevara» a dit : «Si ma révolution n'a pas pour **but** de changer l'homme, elle ne m'intéresse pas.» L'évangile fait mieux car la révolution qu'il propose a pour **point de départ** de changer l'homme. Comme Barabbas au fond de son cachot obscur, nous cherchons à en sortir. La seule issue, c'est Jésus-Christ. Dans l'évangile il affirme : «L'Esprit de l'Eternel est sur moi, m'ayant désigné pour annoncer une bonne nouvelle aux pauvres, il m'a envoyé pour publier aux captifs la délivrance et aux aveugles le recouvrement de la vue, pour renvoyer libres les opprimés et publier l'an agréable du Seigneur.» (4) Il est donc venu pour que ça change, mais l'on persiste à n'en pas vouloir.

Avons-nous compris que le matériau que nous sommes ne pourra jamais, tel qu'il est, bâtir la nouvelle société ? Il nous faut être changés nous-mêmes. Einstein, le grand savant de l'atome, a dit qu'il était plus facile de désintégrer un atome de plutonium que de changer le cœur de l'homme. «Si quelqu'un est en Christ, il est une nouvelle créature. Les choses anciennes sont passées ; et voici, toutes choses sont devenues nouvelles. Et tout cela vient de Dieu...» (5) La Bible a, là encore, la vraie réponse.

(4) Luc 4 : 18-19
(5) 2 Corinthiens 5 : 17

LA FOI: UNE ÉQUATION

Léon Tolstoï a dit que si un homme n'a pas la foi, il est dans la situation la plus dangereuse qui puisse se trouver au monde. A cela la Bible ajoute que personne ne peut plaire à Dieu sans la foi. [1] Il en est qui voient Dieu en rose, en «rose bonbon» même : ce petit Jésus en effet, dans les bras de sa mère, tout rose, tout menu, tout mignon, devenant sucre d'orge, à notre grande joie au temps de Noël. C'est encore, direz-vous, une façon comme une autre de l'aimer. D'autres le voient tout de noir habillé. «Que voulez-vous», disent-ils, «seule la mort nous conduit à lui.» On ne s'étonne plus des angoisses qui sont les leurs, encore moins de leur neurasthénie !

Il en est encore qui le voient en rouge, Jésus, par ses idées d'avant-garde, fut un précurseur de Karl Marx, pensent-ils. Il fut incompris de son siècle et de sa génération, voilà tout ! On en a fait maladroitement un Dieu, et c'est bien dommage. Certains autres aussi, dans leurs «voyages», le voient tout plein de lumières aphrodisiaques. Pour finir, plusieurs ne le voient pas du tout, C'est le néant pour eux. Après l'existence, le vide. Mais en réalité, eux aussi ont leur Dieu à en croire, entre autres, André Malraux. En effet, celui-ci dans une interview accordée à **l'Express** du 22 mars 1971, affirme que «lorsque les dieux meurent et que les systèmes de valeur s'écroulent, l'homme ne retrouve qu'une chose : son corps, le domaine de ce qui est physique. La drogue, le sexe et la violence sont les substituts naturels à la disparition des dieux.» Ceci

(1) Hébreux 11 : 6

montre d'une manière évidente que l'homme est religieux de nature, qu'il a besoin de croire en quelque chose, quand bien même à ses yeux, il serait son propre Dieu.

Mais où donc est Dieu, s'il existe, pour que les hommes le cherchent ainsi à tâtons et s'en fassent autant d'images ?

La Bible dit qu'il n'est pas loin de chacun de nous, tout près même, et qu'en lui nous avons la vie, le mouvement et l'être ; qu'il n'est ni or, ni argent, ni pierre ; qù'il n'habite même pas des temples faits de mains d'hommes comme très souvent la religion l'enseigne. (2) On ne l'approche que par la foi. (3) Bien que tout près, il nous échappe parce qu'il n'est pas physique et nos cinq sens qui sont physiques ne peuvent le saisir. Il est très souvent arrivé à l'homme, dans le passé surtout, de côtoyer des univers et des mondes dont il n'avait pas idée. Dépourvu des moyens qui lui auraient permis de les pénétrer, il n'en eut même pas conscience. Dieu est très près de nous, et nous n'en avons pas conscience.

L'aveugle dans sa nuit peut être enveloppé de lumière et continuer de chercher un chemin difficile. Un sens lui manque. Cette lumière, il a beau l'avoir dans les doigts et sur la face, elle lui reste inconnue. Il la côtoie presque constamment et pourtant il reste dans ses ténèbres. Désirer voir Dieu de ses yeux revient à demander à un aveugle de saisir la lumière de ses doigts. Et comme la lumière est pour l'œil et l'œil pour la lumière, de même Dieu est pour la foi et la foi pour Dieu. Elle est une sorte de sens, don-

(2) Actes 17 : 24-28
(3) Hébreux 10 : 22

nant accès à un monde nouveau et insoupçonné. De quel droit, ceux qui ne la possèdent pas, peuvent-ils affirmer que Dieu n'existe pas ? Quelle serait leur réaction si un aveugle de naissance leur disait que la lumière n'existe pas, parce qu'il ne l'a jamais vue ? Dieu, dit Jésus, est un être spirituel et ne peut être saisi que par un sens spirituel, celui de la foi.

Si vous consultez votre dictionnaire à propos de la foi, vous trouverez bien des choses : fidélité, confiance, croyance, engagement, etc. S'il est vrai que la foi renferme toutes ces nuances, sa définition ici reste encore incomplète. Seule la Bible nous en révèle les secrets. «La foi, dit-elle, est la réalité des choses qu'on espère, la preuve de ce qu'on ne voit pas.» (4) C'est donc elle qui nous rend Dieu «vrai et réel». Point n'est besoin d'objets ou d'images auxquels s'accrocher car elle est apte à nous placer dans une relation vivante avec le Dieu qui est tout près. Elle n'a rien à voir avec une simple croyance qui nous laisserait dans le vague et le clair-obscur. Elle permet une authentique expérience. Dieu cesse d'être simplement une morale, une cause première, une intelligence, une religion même pour être ce qu'il est effectivement : une personne vivante.

La Bible présente la foi sous forme d'équation. Elle dit en effet que celui qui s'approche de Dieu doit croire premièrement qu'il existe. Qu'ensuite, il se révèle d'une façon expérimentale à ceux qui cherchent vraiment. (5) Nous pourrions donc ainsi la formuler : Foi = existence + expérience de Dieu. Approcher Dieu nécessite deux pas. Celui de l'existence d'abord, puis celui de l'expérience. Considérons-les dans cet ordre. En premier lieu, l'existence. Com-

(4) Hébreux 11 : 1
(5) Hébreux 11 : 6

ment y arriver ? Il y a en nous tous une intuition que la Bible appelle «la pensée de l'éternité» ; [6] c'est une sorte d'instinct de Dieu. Cette intuition qui colle à nos moindres fibres, nous pousse à nous interroger sur nos origines, le sens de l'existence et les problèmes d'outre-tombe. Comme l'instinct incite l'animal à chasser, lui faisant deviner que la proie existe, cette pensée de l'éternité nous fait pressentir que Dieu existe vraiment.

L'intelligence elle aussi joue son rôle. «Comment ! direz-vous, est-il raisonnable de penser que Dieu existe ?» Oui ! dit la Bible, c'est l'insensé, qui prétend que Dieu n'existe pas. [7] Renversons ce texte quelques instants. Qu'aurions-nous ? : l'homme sensé dit : Dieu existe. C'est donc bien faire preuve de bon sens que de croire en Dieu. Quand la raison considère la matière et la vie sous toutes ses formes, elle peut admettre l'existence d'une intelligence supérieure à l'origine de ces choses. Einstein que nous citions plus haut a pu affirmer : «Par mes calculs je me suis prouvé Dieu, par mes calculs je ne puis le connaître.»

Il est vrai que Monsieur Monod est fortement opposé à cette thèse, notamment dans son ouvrage **Le hasard et la nécessité.** Il doit néanmoins savoir qu'il y a aujourd'hui des «anti-Monod» comme le biologiste Paul Emile Duroux, dont l'ouvrage intitulé «l'Anti-Chaos» nous paraît, à bien des égards, plus sensé que le sien. Voltaire lui-même, comme on le sait, hostile à toute métaphysique, ne put concevoir qu'une horloge existât sans horloger. De ce genre de crises, nul n'est exempt, même dans les pays où

(6) Ecclésiaste 3 : 11
(7) Psaumes 14 : 1

Dieu s'est vu frappé d'interdiction de séjour. Ce premier pas appelle donc pour beaucoup notre intelligence. Cependant, bien que nécessaire, il demeure insuffisant.

En effet, croire que Dieu existe ne nous le fait pas connaître et ne réduit en rien la distance ou l'obstacle qui nous séparent de lui. Vous conviendrez avec moi qu'il y a une sacrée différence entre savoir qu'une personne existe et l'avoir rencontrée. J'ai à l'esprit l'histoire de ce médecin que mon épouse allait voir fréquemment pour nos enfants quand ils étaient en bas âge. Toutes les fois qu'elle revenait de la consultation, elle ne cessait de m'en vanter les mérites professionnels. Moi, ne le connaissant pas, je me l'étais représenté grand et blond. Pourquoi ? Je n'en sais rien. Toujours est-il qu'un jour j'eus l'occasion de le rencontrer. Quelle ne fut pas alors ma surprise de le voir tel qu'il était vraiment : petit et brun ! Le Dieu qui est le vôtre, vous l'êtes-vous imaginé ou l'avez-vous réellement rencontré ?

Quant au second pas, il est essentiel. Il permet l'expérience du Dieu qui existe. Très souvent lorsque nous partons en montagne vers des sommets, deux véhicules sont nécessaires. Le premier, la voiture, le train ou la moto, nous mène par des lacets jusqu'à une certaine altitude. Là, plus de route. Il faut alors le second véhicule : le télésiège ou la télécabine jusqu'au sommet. De la même façon, il est possible de faire un certain itinéraire vers Dieu avec son intelligence, c'est le premier véhicule. Mais à un certain moment, plus de route ! C'est alors qu'ici, beaucoup achoppent, s'entêtant à vouloir continuer avec leur cerveau quand il n'y a plus de route.

Le second véhicule pour nous mener à Dieu est le

cœur ; si tu crois dans ton **cœur** dit la Bible. [8] Aller à Dieu avec son cœur, c'est s'ouvrir entièrement à lui, c'est l'expérimenter. Aller à Dieu avec son cœur, c'est aussi être vrai dans sa recherche. «Vous me trouverez, dit Dieu, si vous me cherchez de tout votre cœur.» [9] Ainsi, en direct avec Dieu dans cette relation vivante qu'est la foi, nous découvrons «... des choses que l'œil n'a point vues, que l'oreille n'a point entendues, des choses qui ne sont point montées naturellement à nos cœurs...» [10] Un monde tout neuf est devant nous.

Vous l'expliquer ? Sachez que «le cœur a ses raisons que la raison ne connaît pas.» La foi n'explique pas Dieu, elle nous le fait découvrir en faisant tomber nos écailles, elle engage à la fois la raison et le cœur, c'est-à-dire l'être entier.

Comment la posséder ? Elle se soumet à certaines règles dictées par Dieu dans l'Ecriture. Vous comprenez qu'on ne peut aller à Dieu n'importe comment. En laboratoire, pour une expérience déterminée, vous ne partez pas au petit bonheur, au risque de tout faire sauter. Vous acceptez de vous soumettre à des données précises pour la réussite de votre expérience. En matière de foi, c'est la même chose.

La foi, dit Saint-Paul, vient en écoutant le message et le message est l'annonce de l'évangile de Christ. [11] Pour que naisse la foi il faut donc nécessairement le message de l'évangile. L'avez-vous déjà lu ou entendu ? A-t-il trouvé chez vous une oreille réceptive ? Vous êtes-vous mis en direct, par

(8) Romains 10 : 9
(9) Jérémie 29 : 13
(10) 1 Corinthiens 2 : 9
(11) Romeins 10 : 17

le cœur, avec celui qui parle dans ce message ? Vous êtes-vous branché sur Christ ? Ou bien vos préjugés font-ils barrage ? Le premier effet de ce message dans un cœur qui le reçoit est une volte-face vers le Christ. C'est lui en effet qui donne la foi et la fait croître. (12)

Puis, cette foi reçue, nous percevons mieux le sens de la croix sur laquelle Jésus est mort. De nouveaux yeux permettent alors de le voir couvert de notre crasse morale, de nos tares et de tout le mal qui est en nous. Ce supplice qu'il subit apparaît comme l'exécution d'une sentence qui aurait dû nous atteindre. C'est pour nos fautes, notre corruption qu'il souffre et meurt. Mais quelle générosité et quel amour tout ensemble ! Là, il négocie notre paix avec Dieu, étant devant lui le seul interlocuteur valable. Ensuite, quelle explosion de joie, quelle dynamite de vie ! (13)

Sans parler des certitudes qui soudain nous envahissent. Tenez... celle-ci par exemple : «Je sais que mon rédempteur est vivant et qu'il se lèvera le dernier sur la terre. Quand ma peau sera détruite, il se lèvera : quand je n'aurai plus de chair, je verrai Dieu. Mes yeux le verront et non ceux d'un autre.» (14) Et encore : «Je vous écris ces choses afin que vous sachiez que vous avez la vie éternelle, vous qui croyez au nom du Fils de Dieu.» (15) Jésus aussi d'affirmer : «Je suis la résurrection et la vie. Celui qui croit en moi vivra, même s'il meurt ; et celui qui vit et croit en moi ne mourra jamais.» (16) N'est-ce pas tonifiant, dites-moi !

(12) Hébreux 12 : 2
(13) Jean 20 : 31
(14) Job 19 : 25-27
(15) 1 Jean 5 : 13
(16) Jean 11 : 25-26

Un aveugle recouvrant la vue continuerait-il d'aller son chemin en tâtonnant avec sa canne blanche comme avant ? Vous n'y pensez pas. Pour lui, au contraire, ce sens retrouvé et cette explosion de lumière apporteraient une nouvelle dimension dans son existence. Il en est de même de la foi. Elle offre au cœur qui la reçoit une nouvelle dimension de vie. (17) Elle est un cadeau de Dieu à quiconque la veut. (18) Demandez-la dès maintenant. A vous de jouer...

(17) Jean 20 : 31
(18) Ephésiens 2 : 8

LES DIMENSIONS DE L'AMOUR

Ah l'amour ! C'est lui le grand responsable. Il fait tellement défaut ! Si tous les gars du monde se tenaient vraiment par la main, que de problèmes résolus ! Mais journaux, télévision, radio, bandes dessinées, chansons, tout crie notre besoin d'amour.

Jean-Paul Sartre a dit que l'homme ne peut être heureux tant qu'il n'a pas trouvé une cause pour laquelle il vaut la peine de mourir. En voilà une cause, excellente entre toutes, celle de l'amour ! Que ne la choisissons-nous pas ! On a, certes, lancé le slogan «faites l'amour et pas la guerre», mais on s'est vite aperçu que cette sorte d'amour... n'empêche pas la guerre ! Sait-on de quoi on parle quand on parle d'amour ? Il semble qu'il n'y ait pas un mot dont le sens ait été autant déformé. Passion, désir, amour, faiblesse, tout est dans le même sac. Le drame, c'est qu'à tout âge on souffre en amour. L'enfant triste qui ne saisit pas pourquoi papa et maman sont comme chien et chat quand ils ne vivent pas séparés. Le jeune homme ou la jeune fille pour lesquels la vie n'a plus d'attrait depuis que l'autre l'a trompé. Le vieillard, enfin, esseulé par l'âge, qui ne comprend pas que ses enfants auxquels il s'est donné sans compter puissent vivre comme s'il n'existait plus.

La Bible nous dit que nous souffrons en amour pour en avoir violé les lois. Pécher, c'est encore passer outre aux lois de l'amour. Il est vrai que, dès que l'on parle de lois aujourd'hui, c'est une levée de boucliers. «Nous voulons être libres en amour, qu'on cesse de nous parler de lois... il est interdit d'interdire !» Mais dites, ne souffrons-nous pas au travail pour avoir violé les lois du travail, en société pour les mêmes raisons ? Il n'y a pas de liberté, ni de vrai bonheur, sans lois. Les dix commandements qui sont la loi morale de Dieu traitent de toutes les choses de la vie : du travail, de la famille, de la société. Mais ces révoltés que nous sommes ne peuvent supporter d'être régis par des lois quand bien même elles seraient les lois de l'amour. Si les lois de la route étaient supprimées, laissant à chacun de rouler à sa guise, à droite, à gauche, oseriez-vous encore sortir en voiture ? Ainsi le code de la route, tout imparfait qu'il soit, est pour notre sécurité et notre bonheur. La vie elle-même est sujette à des lois. Que ces lois viennent à cesser, ce serait une catastrophe. Sur le plan moral notre siècle vit déjà en catastrophe pour être passé à côté du code de vie que Dieu a donné dans les dix commandements.

Et qui dit amour sous-entend lien. Prétendre aimer et refuser de se lier, sous prétexte de liberté, ne ressemble qu'à de l'égoïsme. Aimer a pour fruit le don, mais avant tout le don de soi à ceux qu'on aime. Si les hommes s'aimaient, ils travailleraient chacun au bonheur de l'autre ; plus de guerre, plus d'affrontement sanglant, plus de querelle ! Ce serait le miracle de l'amour ! Essayons d'imaginer une telle société.

Cela semble utopique. C'est pourtant le socialisme de Dieu, celui que nous propose le Sermon sur la Montagne. Ce socialisme est fondé sur l'amour de Dieu et de l'autre quel qu'il soit. Il enseigne bien plus que le simple partage des biens. Chacun, dit-il, doit considérer les intérêts de l'autre avant les siens. L'Eglise, hélas, aurait dû en donner au monde une certaine idée ! C'est là enfin le socialisme que Jésus lui-même viendra bâtir sur la terre à son retour, après que tous les régimes humains auront fait la preuve de leur insuffisance et de leur fragilité.

Mais où donc regarder pour connaître et posséder l'amour véritable ? La Bible affirme «Dieu est amour». [1] Si le mot «Dieu» vous gêne, vous pouvez lui substituer celui d'«amour», cela revient au même. Chez Dieu en effet, l'amour n'est pas un sentiment au niveau de son cœur comme c'est le cas chez nous. Il est son essence, son caractère, sa nature même : Il trouve sa source là et pas ailleurs. Derrière la création, il y a plus qu'une intelligence, plus qu'une cause première, plus qu'une force hasardeuse, il y a **l'amour.**

Je l'attendais, votre question, «Pourquoi la guerre si Dieu est amour ?» Ainsi donc, quand ici-bas quelque chose ne va plus, c'est toujours sa faute ; mais de lui, nous n'en voulons jamais. Comment voulez-vous qu'il intervienne dans nos affaires quand il n'existe pas ? Soyons logiques, c'est notre faute et non la sienne !

Paul, l'apôtre, est tellement impressionné par l'amour de Dieu qu'il tente follement de lui donner des dimensions. [2] Il parle de longueur, de largeur, de hauteur et de profondeur. Vous est-il arrivé d'évaluer ainsi l'amour que vous avez pour vos bien-aimés ? C'est apparemment insensé et pourtant ces mêmes mesures se retrouvent en filigrane dans le texte qui suit : «Dieu a tant aimé le monde qu'il a donné son fils unique afin que quiconque croit en lui ne périsse point, mais qu'il ait la vie éternelle.» [3]

(1) 1 Jean 4 : 8
(2) Ephésiens 3 : 18
(3) Jean 3 : 16

En creusant un peu, ces mêmes dimensions ne retiennent plus leur mystère. Qu'elles deviennent riches de sens !

Voyons en quoi l'amour de Dieu est profond. On dit d'une dimension qu'elle est profonde, quand on la considère depuis son point le plus élevé. Cette même dimension vue de son point le plus bas, nous la dirions haute. La profondeur de l'amour de Dieu est donc cette distance qui mesure du ciel à la terre ou encore de Dieu à l'homme. La Bible dit que Dieu était en Christ sur la terre pour réconcilier les hommes avec lui-même. (4) Jésus pour sa part, ne cessait d'affirmer qu'il venait d'en haut, (5) étant issu de Dieu. Cette profondeur est donc assurément cette distance qui nous a toujours séparés de Dieu, et que Jésus-Christ a franchie en venant jusqu'à nous.

Comment comprendre qu'il ait un jour consenti à se laisser couler dans le moule qui forme les hommes ? On a appris, étant enfant, que Dieu au commencement a fait l'homme à son image. Mais en Christ, c'est Dieu qui s'est fait à l'image de l'homme !

Je ne sais par quelle inspiration Albert Camus a pu dire un jour : «Le désir de l'homme a toujours été de se faire Dieu, tandis que celui de Dieu a toujours été de se faire homme.» Quelle vérité ! Où donc cet auteur a-t-il été la puiser ? En Christ, en effet, c'est Dieu qui s'est fait accessible aux hommes, c'est Dieu qui est sorti de l'incognito... Enfin ! En Christ, c'est Dieu qui a passé le mur du temps et de l'espace, lui dont la seule dimension de vie a toujours été l'éternité. Jésus n'a-t-il pas affirmé : «Celui qui

(4) 2 Corinthiens 5 : 19
(5) Jean 8 : 23

m'a vu a vu le Père ?» [6] Les hommes de toujours se sont interrogés sur Dieu, et l'ont de tout temps interpellé pour l'identifier. Répondant à cet appel, Jésus-Christ est venu vivre parmi les hommes. Il est, dit la Bible, l'image et l'empreinte du Dieu invisible et inaccessible. [7] C'est pour nous qu'il est descendu. C'est là toute la profondeur de son amour.

Quant à la largeur, c'est le monde entier que Dieu a tant aimé, le monde dans toute son étendue. Qui que ce soit a sa place dans cet amour, quels que soient sa race ou son niveau social.

Quelqu'un cependant me disait un jour : «Il nous aime certes, mais peut-être nous aime-t-il en tant que masse et nous voit-il de son lieu comme une voie lactée d'êtres humains sur la terre.»

C'est possible, mais la Bible affirme qu'il nous affectionne chacun personnellement : vous tout seul, moi tout seul et qu'il sait nos joies, nos problèmes, nos infortunes comme nos succès. De puissants télescopes sont aujourd'hui capables de détacher une étoile du reste des autres, au sein même de la voie lactée, pour la considérer toute seule. Ainsi, Dieu, lui aussi, peut nous distinguer **seuls** dans la grande masse des hommes, pour nous aimer **seuls,** nous rencontrer **seuls,** dans un face à face inoubliable.

La hauteur de son amour ? Eh bien, c'est la dimension qui mesure de la terre jusqu'aux cieux, c'est-à-dire de l'homme à Dieu. Un cosmonaute russe au retour de son périple cosmique a dit qu'il n'avait pas vu Dieu là-haut. Comment l'aurait-il vu quand son

(6) Jean 14 : 9
(7) Hébreux 1 : 3

voyage n'a pas été plus qu'une courte visite à une très proche banlieue de la terre ? Et puis, même s'il était monté plus haut, plus haut encore, il ne l'aurait toujours pas vu. Dieu, nous le disions, n'est pas un être physique. Par contre, sans cette escalade, si dans un élan du cœur, il l'avait cherché, il l'aurait trouvé.

Il n'empêche toutefois que la Bible nous parle d'un lieu qui n'a rien à voir avec le ciel cosmique. Elle le présente comme une sorte de résidence de Dieu où Jésus prépare une place à tous ceux qui veulent bien de lui. (8) Ceux-ci, le jour où il viendra, iront prendre leur place dans ce lieu, et pourront connaître ainsi la hauteur de cet amour. Cette espérance chez ceux qui croient est comme l'ancre d'un navire, sûre et solide. Elle les attache déjà à ce port auquel ils aspirent de toutes leurs forces. Soit qu'ils meurent, soit que Jésus revienne, leur destination est tracée.

L'amour de Dieu est long parce qu'il ne périt jamais. (9) Il accorde une vie sans fin à ceux qui ont la foi. Depuis quand Dieu nous aime-t-il ? A partir de l'instant où nous l'aurions appris ? Depuis notre premier souffle ? L'Ecriture est formelle : Dieu nous a aimés avant même la création des mondes et des univers dont il est l'auteur. (10) «Mais, direz-vous, comment a-t-il pu aimer des êtres qui n'étaient pas encore ?» Tout simplement parce qu'il est Dieu dans toute la force du terme, et qu'il peut appeler les choses qui ne sont point comme si elles étaient. (11) Dieu nous portait en son cœur avant même notre naissance. Le décalage entre les dimensions du

(8) Jean 14 : 2
(9) 1 Corinthiens 13 : 8
(10) Ephésiens 1 : 4
(11) Romains 4 : 17

temps et de l'éternité rend difficile la compréhension de cette vérité. Il faut encore la foi ; n'est-elle pas une sorte de lien entre ces deux dimensions ?

Quand nous attendions la naissance de nos enfants et que mon épouse les portait encore, sans les connaître, nous les aimions déjà. Nous avions des plans pour eux : noms, layettes, berceaux, chambres, etc. Nous les aimions ainsi avant leur naissance. Sur une bien plus grande échelle, ce Dieu d'amour nous concevait déjà en son esprit créateur, avant même tout commencement.

Mais aussi étonnant que cela puisse paraître, il nous est possible de nous exclure nous-mêmes de son amour, en n'en voulant pas. Ce refus, Dieu le respecte. Il nous a créés libres et de ce fait, il joue le jeu jusqu'au bout. Il accepta ce terrible risque. Que diriez-vous s'il nous forçait à l'aimer ? Mais l'amour de Dieu n'est long en vérité que pour ceux qui l'acceptent et le reçoivent. Il ne consiste pas en des mots seulement, mais il a éclaté au grand jour. «Dieu, est-il écrit, a prouvé à quel point il nous aime : Christ est mort pour nous quand nous étions encore des pécheurs.» (12)

Il est une mesure enfin, qui paraît infaillible. On a coutume d'évaluer l'amour dans ce que l'on donne. Vous conviendrez que c'est peut-être trompeur. La vraie mesure n'est-elle pas plutôt dans ce que l'on garde pour soi après avoir donné ? La Bible dit qu'en nous donnant Jésus, Dieu s'est séparé de l'être le plus cher à son cœur, et qui faisait toute sa joie. Son amour n'est donc pas du «bluff». Aucun autre ne peut l'égaler. Quand il fait irruption dans une vie, quel changement, quelle révolution ! L'amour est

(12) Romains 5 : 8

fort comme la mort, dit la Bible. Quand cette dernière saisit une proie, allez donc la lui arracher ! Il en est ainsi de l'amour de Dieu. Quand il saisit une vie, essayez toujours de la lui enlever.

Si encore nous le méritions, nous aurions de quoi être fiers. Un chrétien se trouvait un jour pour son travail dans les bas quartiers de Paris. Il tendit un tract à une prostituée qui faisait le trottoir. Il lui dit : «Dieu vous aime, Madame !» Celle-ci étonnée et moqueuse lui répliqua, l'air en coin : «Vous savez ce que je fais, vous pensez qu'il m'aime quand même ? Alors, dites-moi pourquoi ?» Notre ami, surpris par la question, hésita quelques instants et lui fit cette réponse : «Pour rien, Madame, c'est pour rien qu'il vous aime. Avec moi, c'est d'ailleurs tout comme !» Il fit mouche. Elle saisit ce qu'il voulait dire.

Dieu n'a pas attendu en effet que nous soyons «aimables». Il nous aime pour rien et tels que nous sommes. La Bible nous dit que s'il nous aime, c'est à cause de lui et non de nous. (13) Puissions-nous le croire et nous ouvrir à cet amour qui surpasse toute connaissance. (14)

Mais certains pensent que Dieu, dans sa folle affection pour les hommes, finira bien par passer l'éponge et tout arranger. Combien ils se trompent, ceux-là ! Dieu ne cesserait-il pas d'être Dieu s'il cessait d'être juste ? Il est Amour certes, mais il est aussi Lumière. (15) Il n'est point aveugle ! La croix en est une preuve. En elle sont parfaitement équilibrés et son amour et sa justice. Son amour ? En ce qu'il donne aux hommes un sauveur qui prend leur culpa-

(13) Psaumes 106 : 8
(14) Ephésiens 3 : 19
(15) Jean 8 : 12

bilité comme si elle était la sienne. [16] Sa justice ? Quand cette même culpabilité en ce même lieu reçoit son châtiment. [17] Dieu ne rappellera point une faute que Jésus a déjà expiée sur la croix. Les terribles souffrances qui le déchirèrent dans son corps et dans son âme étaient les foudres d'une justice qui nous étaient destinées. Il payait pour nos péchés comme s'ils avaient été les siens. Il en est mort d'amour.

Un grand académicien, aujourd'hui disparu, a dit :

Dieu : celui qui aime le plus,
A tant aimé : le plus grand amour,
Le monde : la plus grande compagnie,
Qu'il a donné : le plus bel acte,
Son Fils unique : le plus beau don,
Afin que quiconque : la plus grande occasion,
Croit en lui : la plus grande simplicité,
Ne périsse point : le plus grand appel,
Mais qu'il ait : la plus grande certitude,
La vie éternelle : la plus grande promesse !

Face à cette explosion d'amour, il vous revient maintenant de faire un choix. Quoiqu'il en soit, Jésus reste le seul chemin.

(16) 1 Corinthiens 15 : 3
(17) Esaïe 53

Table des matières

Autres livres publiés par les Editions Telos :

6001 Suzanne a des secrets
Esther Secretan-Blum

6002 Tison ardent de Flandre
Phyllis Thompson

6004 Le défi chrétien
George Verwer

6005 Si tu veux aller loin
Ralph Shallis

S 6006 La marque du chrétien
Francis Schaeffer

6007 La logique de la foi
Dale Rhoton

6009 Avec mon guide
Elisabeth Seiler

6010 Les documents du Nouveau Testament : peut-on s'y fier ?
F. F. Bruce

6011 Etre assis, marcher, tenir ferme
Watchman Nee

6012 J'ai aimé une fille
Walter Trobish

6014 Réveil aujourd'hui
Roy Hession

6041 Jésus reviendra !
Henri Müller

6042 La décision suprême
Henri Müller

6051 La libération de l'Esprit
Watchman Nee

6052 La vie chrétienne normale
Watchman Nee

6054 Un Dieu d'amour
A. Ernest Wilder Smith